W9-BLK-142

CALYPSO
Cousteau

Poids et taille

6 kg et 75 cm.

Durée de vie

entre 10 et 15 ans.

Nourriture

calamars, krill et petits poissons.

Reproduction

une fois par an ; 2 œufs couvés à tour de rôle par le mâle et la femelle.

Vit dans les régions de l'Antarctique.
Situation écologique relativement stable.

Imprimé en Italie par Canale à Turin. Dépôt légal n° 2931.06.91 - 29.32.1123.01/8 - I.S.B.N. 2.01.017895-5
Loi n° 49-956 du 16 juillet 1949 sur les publications destinées à la jeunesse.

PINGOUINS

Sous son beau plumage noir et blanc,

le pingouin est bien protégé du froid.

Deux gros œufs dans un nid d'algues,

un bébé sous un ventre douillet.

Voici la mère qui file dans les eaux glacées

à la poursuite des poissons pour ses petits.

Un regard inquiet vers la côte...

Tout à l'heure, ce sera un festin !

Bien surveillés par les adultes,

les jeunes grandissent ensemble.

Ses ailes sont trop petites pour voler,

mais bien assez fortes pour nager...

Aussi leste qu'un poisson,

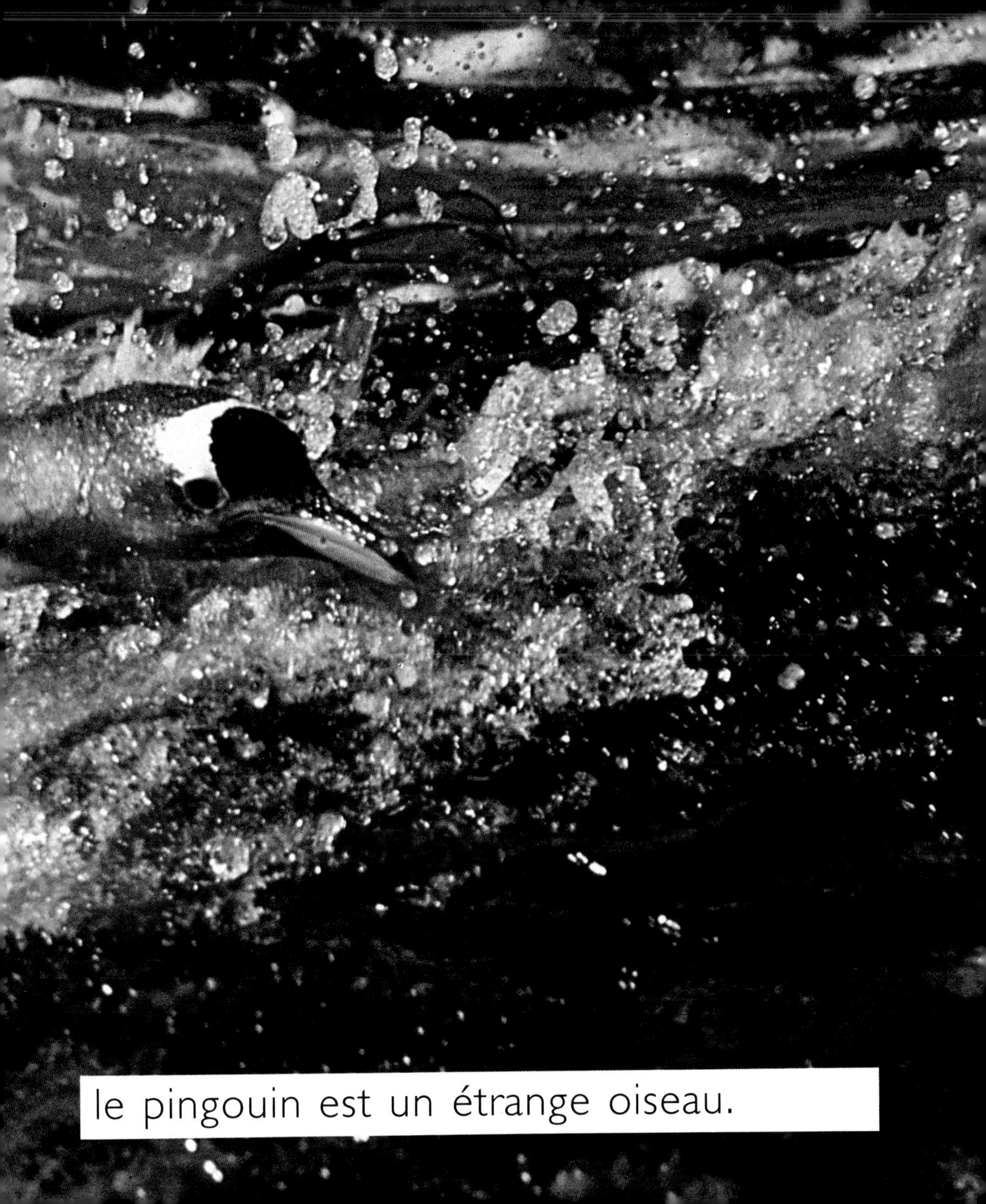

le pingouin est un étrange oiseau.